LA VÍSPERA DE NAVIDAD

y los ocho villancicos más gustados

Versión en español de la obra titulada *The night before Christmas* de Clement C. Moore
publicada originalmente en inglés por Troll Associates,
Mahwah, New Jersey, © 1988.

Esta edición en español es la única autorizada.

© 1990, por **Sistemas Técnicos de Edición, S.A. de C.V.,**
San Marcos 102, Tlalpan, 14000 México, D.F.

Miembro de la Cámara Nacional de la Industria Editorial, registro número 1312.

ISBN 968-6394-00-1
Primera edición: 1990

Impreso en México, *Printed in Mexico*

ABCDEFGHIJKL-M-99876543210

Se terminó de imprimir el día 25 de octubre de 1990 en los Talleres de La Prensa, División Comercial,
Prolongación de Pino No. 577, México 02980 México, D.F. La tirada fue de 3,500 ejemplares

LA VÍSPERA DE NAVIDAD

CLEMENT C. MOORE

Ilustrado por
Elizabeth Miles

y los ocho villancicos más gustados

Versión en Español
Gabriela Ordiales

SITESA
SISTEMAS TECNICOS
DE EDICION, S.A. de C.V.

Era la víspera de Navidad,
y todo en la casa era paz,
no se oía ni un ruidito,
ni siquiera chillar a un ratón.

Junto al fuego pendían
las calcetas vacías,
seguras que pronto
vendría Santa Clos.
Y sobre la cama,
acurrucaditos y bien abrigados,
los niños dormían:
Dulces y bombones
danzaban alegres
entre sus sueños.

Mamá con pañoleta,
yo con gorro de dormir,
iniciábamos apenas,
un largo sueño invernal.

De pronto en el prado
surgió un alboroto;
salté de la cama
y fui a ver qué pasó.

Volé como un rayo
hasta la ventana,
jalé la cortina
y tiré del postigo.

Blanca y suave era la nieve,
dulce el brillo de la luna;
parecía el mediodía,
en nuestra villa tranquila.

Cuando para mi asombro,
vi pasar a lo lejos,
ocho pequeños renos
y un diminuto trineo.

Conducía un viejecito,
tan vivaracho y veloz,
que supe en seguida,
que debía ser Santa Clos.

Más rápido que las águilas,
sus corceles volaban,
y él silbaba y gritaba,
a sus renos llamando:
¡Vamos Destello, Relámpago!
¡Adelante Gambito,
Danzarín y Cupido!
¡Jala duro Cometa!
¡Lleguen lejos Estrella y Lucero!

¡A la cima del techo!
¡A la cima del muro!
¡De prisa, de prisa,
que los niños me esperan!

Cual hojas secas de un árbol,
remontaban al cielo
al hallar a su paso
alguna barrera.
Volaron así,
hasta posarse en la casa,
Santa Clos y los renos
y el trineo con juguetes.

En un parpadear,
sobre el techo escuché
los pequeños cascos
de los renos patear.

Y al voltear la cabeza,
entre cenizas y troncos,
por la chimenea,
cayó Santa Clos.

Abrigado con pieles,
de la cabeza a los pies,
Santa Clos se encontraba
todo sucio de hollín.

Cual ropavejero,
con un saco a la espalda,
descargó su equipaje
y se puso a jugar.
¡Cómo brillaban sus ojos!
¡Cómo sus labios sonreían!
Se veía tan gracioso:
Su nariz parecía una cereza,
sus mejillas estaban rosadas,
y su barba, tan blanca,
recordaba la nieve.

Apretaba entre los dientes
el mango de una pipa,
y en círculo el humo,
coronaba su cabeza.
Su cara era amplia,
y cuando reía,
temblaba su panza redonda,
como un gran tazón de jalea.

Al verlo jugando,
gordinflón y rollizo,
como un duende gracioso,
me reí sin querer.
Santa Clos guiñó el ojo
y sacudió la cabeza
de tal forma que supe
que no había qué temer.

No habló ni una palabra
y volvió a su trabajo:
Llenó bien las calcetas,
inclinó la cabeza,
arrugó la nariz,
y después con un brinco
por la chimenea salió.

Saltó a su trineo
y silbó a sus corceles,
que arrancaron volando,
cual hojas de un árbol
que el viento arrastró.
Pero pude escuchar
que exclamaba:
¡Feliz Navidad!
¡A todos, Feliz Navidad!

Campana navideña

Popular

Cam — pa — na Na — vi — de — ña, de dul — ce y — cla — ro

son, tu can—to ju — bi — lo—so a — le — gra el co — ra —

zón, a — nun—cias con tus vo — ces, he — ral—dos de cris —

rall

tal: a — lé—gren—se las al — mas, lle — gó la Na — vi — dad.

Coro

Din don dan, din don dan, va _ mos a Be _ lén,

ha na _ ci _ do un Ni _ ño que es un lu _ ce _ ro del E _ dén. _____

Din don dan, din don dan, va _ mos a Be _ lén,

ha na _ ci _ do un Ni _ ño que nos o _ fre _ ce to _ do bien.

2. ¡Oh Navidad hermosa!
    ¡Oh noche sin igual!
    tus luces iluminan
    con brillo celestial.

Mensaje dulce y claro
que al mundo da la paz.
¡Oh Navidad hermosa!
¡Oh noche sin igual!

Din don dan, din don dan.

Campana sobre campana

Popular

ESTROFA

Cam _ pa _ na so _ bre cam _ pa _ na, y so _ bre cam _ pa _ na u _ na, a _ só _ ma _ te ae _ sa ven _ ta _ na, ve _ rás a un Ni _ ño en su cu _ na.

Coro

Be _ lén, cam _ pa _ nas de Be _ lén, que los án _ ge _ les to _ can qué nue _ vas nos tra _ éis. Be _ éis. Re _ co _ gi _ do tu re _ ba _ ño, ¿a dón _ de vas pas _ tor _ ci _ llo _ ? voy a lle _ var al por _ tal _ re _ que _ són man _ te _ ca y vi _ no.

2. Es la voz de las campanas
   y sobre campana dos;
   asómate a esa ventana
   porque está naciendo Dios.

   Belén. . .

3. Caminando a media noche,
   ¿dónde caminas pastor?
   le llevo al niño que nace,
   como a Dios mi corazón.

Echen confites

Popular

E _ chen con _ fi _ tes y co _ la _ cio _ nes, pa' los mu _ cha _ chos que son más gl

to _ nes; y que les sir _ van pon _ ches ca _ lien _ tes a las vie _ ji _ tas que no tie _ nen _ dien _ tes; y que les

FIN

D. C. y Fin

sir _ van pon _ ches ca _ lien _ tes a las vie _ ji _ tas que no tie _ nen dien _ tes.

2. No quiero oro ni quiero plata,
   yo lo que quiero es quebrar la piñata (bis).

3. Ándale Chucha sal del rincón
   con la canasta de la colación,
   y no te escondas en la cocina,
   o ya verás con mi tía Josefina.

El niño del tambor

K. Davis

El ca_mi_no que lle_va a Be_lén _____ ba_ja has_ta el va_lle que la nie_ve cu_brió, _____ los pas_tor_ci_llos quie_ren ver a su Rey _____ le tra en re_ga _los en su hu_mil_de zu _ rrón. Al Re _ den _ tor, al Re_den_tor. Ha na_ci_do en un por_tal de Be_lén__ el Ni_ño Dios ___

2. Yo quisiera poner a tus pies
   algún presente que te agrade, Señor,
   más Tú ya sabes que soy pobre también
   y no poseo más que un viejo tambor,
   rotoponpón, rotoponpón.

   En tu honor frente al portal tocaré
   con mi tambor.

3. El camino que lleva a Belén
   voy marcando con mi viejo tambor,
   nada mejor hay que te pueda ofrecer,
   su ronco acento es un canto de amor
   rotoponpón, rotoponpón.

   Cuando Dios me vio cantando ante él
   ¡me sonrió!

Para pedir posada

Popular

En __nom_bre __ del cie _____ lo, bue _____ nos

mo _ ra _ do _____ res, dad a u _ nos via _ je _____

ros po _____ sa _ da es _ ta no _____ che.

Fuera: En nombre del cielo, buenos moradores,
dad a unos viajeros posada esta noche.

Dentro: Aquí no es mesón sigan adelante;
yo no puedo abrir no sea algún tunante.

Fuera: No seáis inhumanos dejadnos entrar,
que el Dios de los cielos os lo premiará.

Dentro: Ya se pueden ir y no molestar,
porque si me enfado los voy a apalear.

Fuera: Venimos rendidos desde Nazaret;
yo soy carpintero y de nombre José.

Dentro: No me importa el nombre déjenme dormir,
porque ya les digo que no hemos de abrir.

Fuera: Posada te pide amado casero,
por sólo una noche la Reina del Cielo.

Dentro: Pues si es una reina quien lo solicita,
¿cómo es que de noche anda tan solita?

Fuera: Mi esposa es María; es reina del cielo y
Madre va a ser del Divino Verbo.

Dentro: Eres tú José, Tu esposa es María. . .
Entren peregrinos, no los conocía.

Los pastores a Belén

Popular español

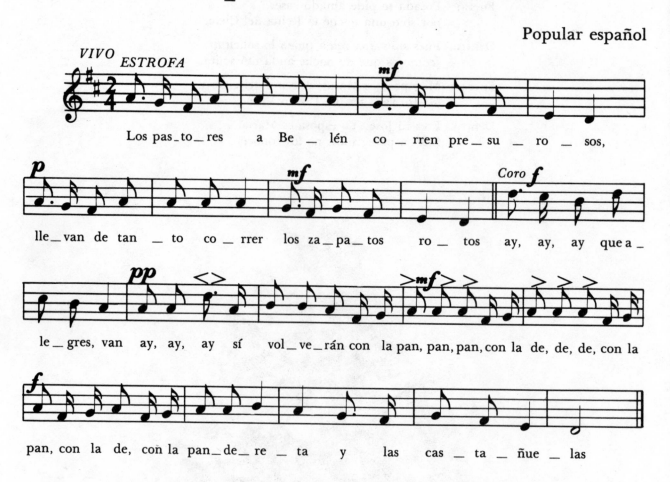

Los pas_to_res a Be _ lén co _ rren pre_su _ ro _ sos,

lle_van de tan _ to co _ rrer los za_pa_tos ro _ tos ay, ay, ay que a_

le _ gres, van ay, ay, ay sí vol_ve_rán con la pan, pan, pan, con la de, de, de, con la

pan, con la de, con la pan_de_re _ ta y las cas _ ta _ ñue _ las

2. Un pastor se tropezó
   a media vereda,
   y un borriquito gritó:
   éste aquí se queda.

Oh! luz de Dios

Popular

¡Oh! luz de Dios, es _ tre lla a _ zul que bri _ llas en el cie _ lo bri _

lle tu luz en el por _ tal do el sol de a _ mor o _ cul _ to es _ tá ¡Oh!

luz de Dios es _ tre lla a _ zul que bri _ llas en el cie _ lo.

Vamos pastores, vamos

Ciriá

Va_mos pas_to_ res va _ mos va _ mos a Be _ lén,

a ver en e_se Ni_ño la glo_ria del E _ dén a ver en e _ se

Ni_ño la glo_ria del E _ dén la glo_ria del E _ dén. Sí

Va_mos pas _ to _ res va _ mos va _ mos a Be _ lén, a ver en e _ se

Ni _ ño la glo _ ria del E _ dén a ver en e_se Ni _ ño la

glo_ria del E _ dén a ver en e _ se Ni_ño la glo _ ria del E _

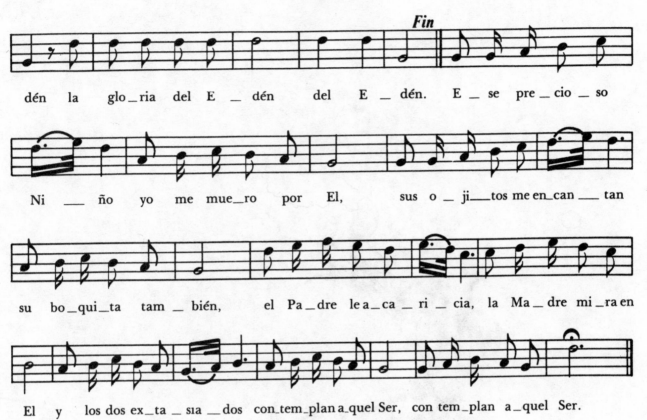

Fin

dén   la   glo_ria del E _ dén   del   E _ dén.   E _ se pre_cio _ so

Ni _ ño   yo   me mue_ro   por   El,   sus o _ ji_tos me en_can _ tan

su   bo_qui_ta   tam _ bién,   el Pa_dre le a_ca _ ri _ cia, la Ma_dre mi_ra en

El   y   los dos ex_ta _ sia _ dos con_tem_plan a_quel Ser,   con tem_plan a_quel Ser.

2. Es tan bello el chiquito que nunca podrá ser
que su belleza copie el lápiz ni el pincel,
pues el Eterno Padre con inmenso poder
hizo que el Hijo fuera Inmenso como Él.

3. Yo pobre pastorcillo al Niño le diré
no a la buenaventura, eso no puede ser;
le diré me perdone lo mucho que pequé
y en la mansión eterna un ladito me dé.

3112